QUI A VOLÉ JUPITER ?

www.editions.flammarion.com

Dépôt légal : mai 2005 – N° d'édition : 3062 – Imprimé en France par I.M.E.
ISBN : 2-08163062-1 – Loi n°49-956 du 16 juillet 1949 sur les publications destinées à la jeunesse.

Alain Surget

Fabrice Parme

QUI A VOLÉ JUPITER ?

CASTOR POCHE

CHAPITRE 1

CAP SUR LE CAPITOLE !

À ROME, EN 48 AVANT J.-C.

La nuit descend sur Rome. Quelques ruelles s'allument grâce aux torches que l'on plante au-dessus des portes.

— On dirait des serpents de feu dans la ville, remarque Iméni, installé avec ses amis à la fenêtre de leur chambre.

Les trois amis logent à l'étage d'une superbe maison que César a donnée à Cléopâtre sur le mont Janicule. De là, ils ont une vue d'ensemble sur la ville située de l'autre côté du fleuve. Une muraille noire entoure les sept collines de Rome, mais des lumières brillent sur leurs sommets. C'est là, en effet, qu'habitent les sénateurs et les gens les plus importants.

— Nous n'avons plus revu Cicéron depuis qu'il

nous a perdus dans Subure*, fait observer Antinoüs. Je me demande ce qu'il prépare… Rome est une ville dangereuse. Je suis sûr que des complots se trament dans les sombres tavernes ou dans ces belles demeures éclairées.

— Ouaaah, tu vois le mal partout, souffle Iméni en haussant les épaules. Qu'est-ce que tu en penses, Cléo ?

La fillette ne répond pas. Depuis un moment, elle fixe une lumière qui scintille plus que les autres.

— C'est la colline du Capitole, là-bas ? interroge-t-elle enfin en pointant le doigt vers un feu qui ressemble à une grosse étoile rouge.

Les deux garçons regardent dans la direction indiquée.

— Oui, répond Antinoüs. Les prêtres ont allumé un brasier sur l'autel devant le temple de Jupiter. Ils doivent célébrer un culte.

— Et si on allait voir ?

La phrase de Cléo tombe comme un caillou dans l'eau. Antinoüs ferme les yeux et pense très fort : « Ça

* Voir *C'est quoi ce cirque ?*

fait une semaine que plus rien ne se passe. C'était trop beau ! Ça ne pouvait pas durer. »

— Dès qu'on sort la nuit, il nous arrive quelque chose, gémit Iméni.

— Tu veux dire que chaque fois nous découvrons un complot ! corrige la gamine. C'est ainsi que nous avons sauvé la vie de César et de Cléopâtre.

— En risquant la nôtre, complète Antinoüs.

— On est bien ici, tous les trois... avec Fenk, reprend Iméni en caressant le fennec qu'il tient dans ses bras.

— La reine dîne en ville, chez César. Vous savez très bien que ces petits repas en tête à tête durent très longtemps, avec les danseuses, les musiciennes, les plats qui n'en finissent pas de défiler... Cléopâtre ne s'apercevra même pas qu'on est sortis.

Antinoüs soupire. Il se penche à l'oreille de son ami égyptien et annonce, assez fort pour être entendu de la fillette :

— Ce qu'elle n'avoue pas, notre Cléo, c'est qu'elle espère rencontrer Marc Antoine au détour d'une rue. Le grand, le fort, le beau Marc Antoine !

— Pfff ! fait la gamine. N'importe quoi !

Iméni baisse la tête. Il se sent tout à coup comme s'il se ratatinait, comme si ses os se transformaient en sable et coulaient à l'intérieur de lui-même.

— Pfff ! répète-t-il, mais à l'intention de Marc Antoine.

« Qu'est-ce qu'il a de plus que moi, l'autre ? songe-t-il. Et en plus il est vieux, il a au moins vingt-cinq ans ! » Il glisse un coup d'œil sur Cléo. « Si elle continue à ne pas faire attention à moi, je vais tomber amoureux de Cléopâtre. J'espère que ça rendra Cléo jalouse ! » Iméni se redresse, gonfle la poitrine et regarde droit devant lui, pareil à un capitaine à la proue de son navire.

— Bon, dit-il en forçant sa voix, allons montrer à Cléo ce qui se passe là-bas ! Nous n'avons que le Tibre à franchir, les gardes de la Porte Flumentana à affronter, et les brigands de la ville à éviter. Et je ne parle pas du retour !

— Il y a un pont qui enjambe le fleuve, il n'y a aucune raison pour que les gardes ne nous laissent pas entrer, et les brigands se cachent dans Subure, à l'opposé de notre chemin.

Les deux garçons échangent un regard. Cléo vient de balayer les prétendus dangers de la même façon que l'on chasse une mouche.

— La dernière fois, on s'est perdus dans la ville, rappelle Iméni qui s'est dégonflé d'un coup. On a

passé la nuit sous le cirque en compagnie d'un ours, prisonniers.

— C'est parce que nous sommes rentrés trop tard, explique la fillette. Il suffit de nous présenter à la Porte Flumentana avant minuit. Et nous connaissons les rues de Rome à présent…

Elle arrache Fenk des bras d'Iméni, et ajoute :

— Si les sentinelles s'étonnent de nous voir dehors à cette heure, nous répliquerons que le fennec s'est échappé et que nous avons voulu le rattraper. Nous déclarerons que c'est l'animal favori de Cléopâtre. Vous verrez que les gardes s'inclineront même devant lui.

Cléo se dirige vers la porte d'un pas décidé.

— Si tu veux qu'elle te remarque, tu ne devrais pas rester planté là, conseille Antinoüs à Iméni comme la gamine quitte la chambre.

— Tu as raison ! Je vais courir devant elle pour écarter les périls de sa route.

Antinoüs sort après eux. La nuit est douce, mais il n'est pas sûr qu'elle ne cache pas des pièges, dans lesquels ils vont se jeter tête baissée.

CHAPITRE 2

LA PLUME
ET LA PIERRE

Des bûches achèvent de brûler sur l'autel de Jupiter lorsque les trois amis atteignent le sommet du Capitole. La façade du temple rougeoie encore à la lueur du feu.

— Nous sommes passés aussi facilement qu'un courant d'air, se félicite Iméni. Personne ne nous a aperçus dans le jardin, le garde de la Porte Flumentana était à moitié endormi, et nous n'avons pas fait la moindre rencontre de la place du marché jusqu'à la colline.

— Ouais, mais les prêtres sont partis, ronchonne Cléo. Nous sommes arrivés trop tard. Je me demande s'ils ont sacrifié un taureau pour étudier l'avenir dans ses entrailles.

— Je ne pense pas, dit Antinoüs. Il n'y a aucune

trace de sang sur l'autel.

— Ils ont peut-être étudié le vol des oiseaux, suppose Iméni.

Cléo lui jette un regard moqueur.

— En pleine nuit ? À moins que les aigles et les corbeaux soient brusquement devenus lumineux !

Le petit Égyptien rougit un peu. Il a parlé sans réfléchir, et il se mord la langue pour avoir énoncé une ânerie. Cléo a contourné l'autel et se tient devant les marches qui conduisent au temple.

— Je suis curieuse de voir l'intérieur. Ce doit être très différent de celui d'un temple égyptien.

— Tu ne vas pas entrer dans la maison du dieu !

— Jupiter doit dormir, ajoute Iméni.

— Nous marcherons sur la pointe des pieds, insiste la gamine.

— De toute façon, la porte est certainement fermée.

Cléo hausse les épaules, d'un air de dire : « Nous verrons bien », puis elle grimpe les marches, guillerette.

Les garçons se décident à la suivre…

« … pour la protéger en cas de danger », rumine Iméni.

— La porte est entrebâillée, remarque Cléo. Nous pouvons entrer.

Antinoüs l'agrippe par le bras avant qu'elle ne se glisse entre les lourds battants.

— Si c'est ouvert, c'est qu'il y a quelqu'un dans le temple, chuchote-t-il. Sans doute un prêtre… Il vaut mieux repartir.

— Je ne suis pas venue jusqu'ici pour ne rien voir. Il y a un moyen de faire sortir le prêtre sans qu'il referme derrière lui.

Elle se baisse, saisit le fennec et le propulse dans le sanctuaire.

— Cachons-nous derrière les piliers ! Nous irons jeter un œil à l'intérieur quand le bonhomme surgira derrière Fenk et le pourchassera autour du bâtiment.

Fondus dans l'ombre des colonnes, les gamins patientent un moment. Le feu meurt sur l'autel. L'obscurité descend le long de la façade, comme si la nuit s'asseyait sur le temple.

— On n'entend rien, commente Iméni. Pas de cris. Pas de bruits de course.

— C'est bon, conclut Cléo, on peut entrer.

— Méfions-nous tout de même, recommande Antinoüs.

Il s'introduit le premier, suivi par la fillette, et par Iméni qui déclare défendre leurs arrières. Il ne fait pas sombre dans la maison du dieu. Une lueur diffuse filtre sous un épais rideau qui sépare un vestibule de la chambre sacrée, la cella. Le fennec est assis devant la tenture, attendant qu'on la tire pour aller plus loin.

— S'il y avait quelqu'un de l'autre côté, Fenk l'aurait senti et il gronderait.

Cléo écarte un pan de la tapisserie et risque un coup d'œil furtif.

— Ooohhh ! s'écrie-t-elle, incapable de retenir son exclamation.

Éclairée par des lampes à huile brûlant en permanence, une statue monumentale de Jupiter occupe le centre de la pièce. Le dieu est assis sur son trône, la main gauche appuyée sur un sceptre en or, le bras droit levé, un aigle immense posé sur le poing.

— Alors il est comme ça, Jupiter ! C'est un géant barbu ! Il ne ressemble ni à Râ ni à Osiris.

Les deux garçons pointent leur nez derrière Cléo.

— Il fait peur, dit Iméni, la voix tremblante.

— Il est en marbre, annonce Antinoüs, sans être guère plus rassuré que son compagnon tant le dieu paraît vivant.

La fillette se faufile dans la cella et s'avance jusqu'au pied de la statue. Elle voudrait lancer une plaisanterie pour se moquer gentiment de ses deux amis qui hésitent à la rejoindre, mais elle a soudain l'impression qu'un poids énorme pèse sur ses épaules. Le regard de pierre du dieu ! Elle avale sa salive, se sent petite, petite, toute petite... Fenk trottine vers la gamine, puis il fait le tour du socle en le reniflant, cherchant l'emplacement idéal pour lever la patte.

Quelque chose tombe en voltigeant devant Cléo. Elle tend la main pour l'attraper. Une plume ! Aussi longue que son bras !

— Une plume ? s'étrangle la fillette. Mais... ?

Elle lève la tête. L'œil de l'aigle s'est ouvert, pareil à un soleil noir.

— L'ai... l'aigle ! balbutie-t-elle. C'est un vrai !

Un souffle puissant couche les flammes des lampes quand l'oiseau déploie ses ailes. Une ombre gigantesque s'étale sur les dalles.

— Il plonge ! Couchez-vous ! hurle Antinoüs.

Iméni saute sur Cléo et la plaque au sol tandis que le jeune Grec se précipite vers son fennec. Il n'a que le temps de l'empoigner et de se jeter à terre. Les terribles serres du rapace le frôlent, puis l'oiseau remonte en spirale.

— Sauvons-nous ! crie Cléo en se relevant. Il va revenir à l'attaque !

L'aigle vire sur une aile et pique vers les enfants. Il redresse son vol au ras du sol et projette ses serres en avant. Ses proies s'écartent au dernier moment. Il happe du vide, donne un coup d'aile pour éviter le rideau et s'élève à nouveau en tournant autour de Jupiter. Cléo et Antinoüs réussissent à repasser derrière la tenture avant que l'aigle ne fonde sur eux

une troisième fois. Paniqué, Iméni s'empêtre dans le tissu. Il pousse un cri, se retourne, voit l'oiseau qui s'abat sur lui, le bec entrouvert et les doigts des pattes écartés, prêt à le saisir. Le garçon fait un bond de côté, heurte une colonnette de marbre rouge sur laquelle repose une statuette de Jupiter, haute d'une coudée*. La statuette bascule, tombe et se casse. L'aigle atterrit dans le rideau, son aile gifle Iméni qui roule au sol. Profitant de ce que le rapace reprend son vol, le jeune Égyptien rampe sous la tenture et se retrouve enfin dans le vestibule.

— Dépêche-toi ! le presse Antinoüs. Le bruit peut attirer les prêtres.

Ils dévalent les escaliers, passent devant l'autel, puis ils se laissent glisser le long du raidillon creusé à flanc de colline.

— Qu'est-ce que tu tiens dans tes bras ? s'étonne Cléo lorsqu'ils atteignent la rue qui mène au marché aux bestiaux.

— La petite statue de Jupiter, répond Iméni. Je l'emporte pour la réparer.

— Tu sais recoller des morceaux, toi ?

* Environ 50 centimètres.

— Je te rappelle que mon père est tailleur de pierres, se défend le garçon. Il m'a appris à...

— Tu ne vas pas t'encombrer avec ça ! s'énerve Antinoüs. Le garde de la porte nous prendra pour des voleurs ; il ne nous permettra jamais de quitter la ville.

— Antinoüs a raison, confirme Cléo. Abandonne ta statue ici !

— Pas au milieu des crottes de chien ! s'indigne Iméni. C'est un dieu tout de même ! Je n'ai pas envie que Jupiter nous envoie son aigle pour se venger.

— Alors cachons-la dans cette arrière-cour ! suggère la fillette en montrant un porche éclairé par un flambeau.

Ils y courent, découvrent un amoncellement de nattes et de vieux paniers. Iméni dérange une nichée de chats en enfouissant la statuette sous le tas, puis les trois amis se hâtent de rejoindre la Porte Flumentana comme les abois d'un chien s'envolent d'une ruelle toute proche.

Au même moment, une silhouette s'insinue entre les piliers du temple de Jupiter, sur le Capitole.

— C'est bien, glousse-t-elle en constatant que la porte est restée entrebâillée. César cessera bientôt d'être le maître à Rome !

CHAPITRE 3

LE SACRILÈGE

Le lendemain, dès l'aube, un bruit de cavalcade remonte la rue et s'arrête devant la maison. Un serviteur se hâte d'aller ouvrir. Jules César fait aussitôt retentir sa voix dans l'atrium*, demandant à être reçu par Cléopâtre.

— La reine dort encore, s'excuse le serviteur.

— Elle dormait ! jette Cléopâtre apparue à l'étage, à la rambarde d'une loggia à colonnade qui surplombe l'atrium. Mais elle a été réveillée par un martèlement de sabots, ajoute-t-elle comme les enfants sortent de leur chambre.

— Il s'est passé quelque chose de très grave, cette nuit, annonce César. Un vol au temple de Jupiter !

Les enfants cessent de respirer. Une poigne glacée leur opprime la poitrine.

* Cour intérieure, juste après le vestibule d'entrée, et dont le centre est occupé par un petit bassin.

— De l'or ? Des objets sacrés ? s'enquiert Cléopâtre.

— Le dieu lui-même, indique César en lui faisant signe de descendre et de le rejoindre.

— Comment peut-on voler un dieu ?

— En dérobant l'image de pierre dans laquelle il s'incarne ! Oh, ce n'est pas la statue de vingt-quatre coudées de haut qui a disparu, mais celle qui veillait à l'entrée de la cella.

— Alors ce n'est pas si grave, corrige Cléopâtre, ramenant un peu de chaleur dans le cœur des enfants. Il n'y a qu'à faire une copie.

Elle s'engage dans l'escalier de bois, précédant Cléo, Antinoüs et Iméni. Les servantes se précipitent à la cuisine pour aller chercher le petit déjeuner.

— Cette sculpture est unique, car elle porte la marque du dieu, reprend César quand Cléopâtre arrive devant lui. Romulus, le fondateur de Rome, la brandissait à deux mains devant son peuple réuni au pied du Capitole quand les nuées se sont ouvertes, libérant un aigle de lumière, l'oiseau de

Jupiter. Il a plongé du haut des cieux, aussi rapide que la foudre, et a éraflé la statuette d'un coup de serre sur la joue gauche. Aucun instrument ne peut rendre une entaille pareille. Depuis, elle symbolise le dieu vivant. Sa disparition est une catastrophe pour moi.

— Je comprends que ce vol soit sacrilège, dit la reine en se dirigeant vers le tablinum, une pièce séparée de l'atrium par un treillage en bois et donnant sur le jardin à péristyle*, mais je ne vois pas en quoi cela te concerne.

César fronce les sourcils en regardant les enfants, leur intimant l'ordre muet de s'éloigner. Son attention se reporte ensuite sur les deux servantes de Cléopâtre qui reviennent avec des plateaux de boissons, de pains et de fruits.

— C'est moi qui dois présider à l'ouverture des Grands Jeux consacrés à Jupiter, précise-t-il en pénétrant dans le tablinum, derrière la reine. Si je ne peux présenter la statuette à la foule, mon prestige en sera très amoindri. Le peuple va s'imaginer que le dieu me retire son appui, et il

* Galerie formée par un rang de colonnes disposées autour du jardin.

risque, avec l'aide du Sénat, de réclamer la fin de mes pouvoirs.

— Ne peux-tu les contraindre au silence ? C'est bien toi l'imperator qui commande l'armée, non ?

— Les soldats refuseront d'obéir à un général déchu et abandonné des dieux, grogne César en se laissant tomber sur un siège.

— Alors rentrons à Alexandrie ! chantonne la jeune reine en choisissant une datte dans une coupe de fruits. Je m'ennuie à Rome : il ne s'y passe jamais rien.

— Ah, tu trouves ?

— Je veux dire : rien d'intéressant. Qui sait, c'est peut-être tout simplement un prêtre qui a retiré la statue pour la nettoyer.

César hausse les épaules et soupire. La reine virevolte autour de la table, cueillant un grain de raisin par-ci, une figue par-là, mordant dans un pain farci aux olives, puis goûtant une lichette de miel, cependant que César se contente d'un morceau de pain sec qu'il trempe dans du vin.

— Qu'as-tu l'intention de faire ? demande-t-elle.

— Je vais tâcher d'amadouer Baltus, le plus âgé et le plus écouté des sénateurs, ainsi que l'enquêteur qui s'occupe de débrouiller cette affaire.

— De quelle façon ?

—En les invitant ici. S'ils tombent sous ton charme, ils sauront convaincre le Sénat et le peuple romain que Jupiter ne nous a pas abandonnés, et que ma présence suffit à honorer les Jeux.

— Qui est l'enquêteur ? interroge la reine.

— Cicéron !

Cléopâtre tressaute comme si elle avait été mordue par une vipère.

— Quoi ? Ce pois chiche ! Celui que les enfants ont fait tomber dans le bassin la dernière fois !*

— Justement... fait César en laissant traîner le mot, il vaudrait mieux que les trois garnements ne soient pas présents ce jour-là. Ils ne peuvent s'empêcher de fourrer leur nez dans les affaires des autres. Je suis d'ailleurs persuadé qu'ils nous écoutent en ce moment, cachés derrière un pot, couchés dans un massif de fleurs ou suspendus à une treille au milieu des raisins.

* Voir *C'est quoi ce cirque ?*

— C'est de cette façon-là qu'ils nous ont plusieurs fois sauvé la vie, rappelle la reine en riant.

— Soit, accepte César, qu'ils restent donc ! C'est encore en les gardant sous les yeux que nous serons le plus tranquilles.

— Mes deux fidèles servantes, Iras et Charmion, ne les quitteront pas d'une semelle. Sois sans crainte, tes invités repartiront entiers.

Accroupis sous la fenêtre du tablinum, côté jardin, Cléo, Antinoüs et Iméni n'ont rien perdu de la conversation.

— Tout cela est ma faute, chuchote Iméni en se tordant les doigts de désespoir. J'aurais dû laisser le dieu par terre.

— C'est moi la responsable, s'accuse Cléo. C'est moi qui vous ai entraînés dans le temple. Mais pouvais-je savoir que l'aigle de Jupiter gardait le sanctuaire ?... La situation n'est pas si tragique, reprend-elle après un léger silence. Nous savons où se trouve la statuette. Il n'y a qu'à aller la remettre à sa place, cette nuit.

Antinoüs secoue la tête.

— C'est risqué, juge-t-il tout en caressant Fenk. Des gardes sont sans doute établis sur le Capitole pour surveiller le temple, dans la crainte d'autres profanations. Cicéron est peut-être dissimulé dans la cella. Il vaut mieux ne plus bouger d'ici pendant quelque temps, et laisser César régler le problème à sa manière.

— C'est une sage décision, approuve Cléo. Allons nager dans le bassin ! Et toi, Iméni, essaie d'avoir l'air innocent ! On dirait que tu portes toutes les fautes du monde sur la figure.

CHAPITRE 4

UN BANQUET AU VINAIGRE

Trois jours plus tard, les serviteurs s'activent de bonne heure dans la maison. Le soleil est à peine levé, mais déjà le fennec d'Antinoüs gratte à la porte de la chambre en poussant des couinements aigus.

— Il va réveiller Cléopâtre, dit Iras à Charmion. Je vais aller lui ouvrir pour qu'il coure dans le jardin.

Sitôt la porte entrebâillée, Fenk se précipite dans la loggia, dévale l'escalier et fonce à toutes pattes à travers l'atrium et les couloirs. Il manque renverser un vieil homme qui arrose les massifs de fleurs, se plante devant le mur qui sépare le jardin potager de la rue, et se met à glapir à belle voix.

— Fais taire cette bête ! lance Iras au vieux jardinier.

Le bonhomme lâche son récipient et se hâte vers le fond du jardin. On entend quelques grognements, un cri, puis l'homme revient en clopinant, le fennec agrippé par les dents à sa cheville. C'est Iras qui l'en débarrasse en offrant une friandise à l'animal.

— Il a dû renifler la trace d'une fouine ou d'une belette, explique le jardinier. Ces bestioles s'introduisent parfois dans les maisons pour chasser les souris.

— Hum, fait la servante, sceptique. Fenk n'aurait pas pu les sentir de la chambre située à l'étage. C'est autre chose qui a attiré le fennec dans le jardin.

Sagement rangés contre le mur de l'atrium, et surveillés par Iras et Charmion, Iméni, Cléo et Antinoüs saluent les quatre hommes qui viennent d'entrer dans la maison. César leur accorde un sourire, Baltus un petit mouvement de la tête, Marc Antoine leur ébouriffe les cheveux et passe son doigt sous le menton de Cléo, lui tirant un frisson délicieux, et Cicéron marque une hésitation, comme s'il craignait de passer entre l'impluvium — le bassin recevant les eaux de pluie— et les enfants.

— Vous ne m'imaginez plus en comploteur, j'espère ? leur demande-t-il.

— Bien sûr que non, répond Antinoüs. Mais vous nous aviez intrigués en vous faufilant dans la foule pour nous suivre du port au Forum, lorsque nous avons fait notre entrée à Rome*.

— J'avoue que la curiosité m'a poussé à suivre votre étonnant cortège. Je voulais examiner Cléopâtre pour fixer ses traits dans mon esprit. On m'avait raconté tant de choses à propos de son nez : qu'il était trop long, par exemple.

Iméni pouffe dans sa main. « Si tu voyais le tien, de nez ! pense-t-il. On dirait un bec d'aigle. »

— Ce fennec a l'air bien gentil, ajoute Cicéron en caressant l'animal.

Il ramène une touffe de poils dans sa main, puis il s'incline devant Cléopâtre qui vient vers lui.

— Je suis sûre que mes musiciennes, mes danseuses et mon cuisinier vous feront oublier les

* Voir *C'est quoi ce cirque ?*

désagréments que vous avez subis la dernière fois dans cette maison, lui dit-elle.

La reine lui prend le bras et le conduit derrière César vers le jardin à péristyle où les serviteurs ont dressé les tables et les lits de banquet. Cicéron est tout de suite envoûté par le parfum de la jeune femme, et le contact de sa peau douce lui procure un agréable picotement. À peine sont-ils installés qu'un air joyeux s'élève, joué sur une harpe et des flûtes doubles. Cinq danseuses arrivent en sautillant, des clochettes aux chevilles et un tambourin à la main. Les enfants sont assis à l'écart, autour d'un guéridon en bronze, mais ils ne perdent pas une miette de la discussion.

— Où en est ton enquête ? commence César en élevant une coupe de vin. Le voleur a-t-il laissé des traces derrière lui ?

— L'aigle a dû l'attaquer, suppose Cicéron. La colonne qui servait de support à la statuette a été renversée, et j'ai relevé des déchirures sur la tapisserie ainsi que des éclats de pierre sur le sol. La sculpture a été endommagée par sa chute. Si

nous la retrouvons, si elle n'est pas trop abîmée et si elle porte toujours la marque de l'aigle sur la joue gauche, nous pourrons l'amener à Typhos l'Athénien pour qu'il la répare.

— Il reste trois jours avant l'ouverture des Grands Jeux de Jupiter, c'est peu, grogne César.

— L'armée contrôle toutes les portes de Rome, déclare Marc Antoine. J'ai lancé des cavaliers sur les routes pour arrêter et fouiller chaque chariot qui a quitté la ville, mais j'ai l'intime conviction que la statuette est toujours dans nos murs.

— C'est aussi mon avis, souligne César.

— Mais dans quel but l'a-t-on dérobée ? s'exclame le vieux sénateur Baltus.

— Pour me nuire ! assène l'imperator en reposant sa coupe. Pour faire croire au peuple que Jupiter cesse de guider mes actes !

— Cherche le coupable parmi les ennemis de César, conseille Baltus à Cicéron.

— Je crois, moi, que c'est Rome tout entière qu'on a voulu affaiblir, intervient Cléopâtre. En perdant la protection de son dieu, la ville perd sa puissance. C'est pourquoi vous devez rassembler tous les sénateurs autour de César, cher Baltus. Que Rome se montre unie face à l'adversité ! Et vous, cher Cicéron, remettez les conclusions de votre enquête à César avant d'en rendre compte au peuple, sur le Forum.

César glisse un regard reconnaissant à la reine. Cicéron étudie sa manœuvre du coin de l'œil. Baltus hoche la tête comme s'il réfléchissait. Marc Antoine suit la danse d'un air distrait. Cléo ne quitte pas le bel officier des yeux, et Iméni pousse de gros soupirs pour attirer l'attention de la fillette sur lui.

— Tout cela n'a pas de sens, grommelle Antinoüs à Fenk.

— Qu'est-ce que tu veux dire ? demande Cléo.

— Il n'y a pas de voleur, il n'y a pas de complot, pas plus contre César que contre Rome, rappelle-t-il en étouffant sa voix. La peur leur fait envisager n'importe quoi. Ils se montent la tête pour rien. D'autres la perdent, appuie-t-il en regardant la fillette bien en face.

— Je suis d'accord avec toi, bougonne Iméni. Tu sais, j'ai bien envie d'aller tout leur raconter. Ça remettrait...

— C'est trop tard, le coupe Antinoüs. César ne comprendrait pas pourquoi on a attendu trois jours avant de l'avertir.

— C'est toi-même qui nous as recommandé de... s'écrie Iméni.

— Chut! Baltus va apporter son soutien à César et tout rentrera dans l'ordre, assure le jeune Grec. Mais celui qui m'inquiète le plus, c'est Cicéron. S'il interroge les gardes de la Porte Flumentana, et si ceux-ci se souviennent de nous, alors nous serons mal...

— On peut s'arranger pour noyer Cicéron avant qu'il reparte, suggère Cléo. Nous l'avons déjà poussé dans le bassin, une fois.

Les danses et la musique s'achèvent dès que les serviteurs apportent les dernières pâtisseries agrémentées d'un vin du Nil couleur de miel.

— C'est excellent mais c'est trop, je n'en peux

plus, souffle Baltus en se tenant le ventre. J'aimerais faire une courte promenade.

Ils se lèvent, traversent le péristyle puis un long couloir avant d'arriver au jardin qui tient lieu à la fois d'espace d'agrément et de potager. César marche entre Cicéron et Baltus, pressé d'entendre leur décision.

— Je parlerai au Sénat après-demain, promet le vieil homme. Nous allons tous te soutenir, et nous défilerons derrière toi pour l'ouverture des Jeux.

— De mon côté, je m'engage à te faire part des résultats de mon enquête, renchérit Cicéron. Et j'expliquerai bien au peuple qu'il doit continuer à t'accorder sa confiance.

Ils s'assoient sur un banc, à côté d'une fontaine constituée d'une sirène tenant une amphore sous son bras, de laquelle l'eau s'écoule. Les enfants s'arrêtent derrière eux. Cicéron leur décoche un coup d'œil méfiant, mais il se rassure en voyant les deux servantes de la reine auprès d'eux. À ce moment, Baltus s'approche de la fontaine, se penche sous l'amphore pour boire… mais son pied glisse. Il

pousse un cri, se rattrape à la poterie qui se brise. Un objet blanc s'en échappe et tombe sur la margelle.

— Mais c'est la statuette de Jupiter ! s'écrie Baltus d'une voix poussée à l'aigu.

Les hommes se lèvent, le visage grave.

— C'est bien elle ! confirme Cicéron.

La sculpture n'a plus que la partie droite de la tête, mais chacun la reconnaît. Les regards pèsent sur César, lourds, accusateurs.

— Je ne comprends pas, se défend l'imperator. Vous n'imaginez quand même pas que c'est moi le voleur ! Si tel était le cas, aurais-je caché la statuette dans la maison que j'ai donnée à Cléopâtre ?

— C'est bien le seul endroit où personne n'aurait eu l'idée d'aller chercher ! s'exclame Baltus.

— Ne soyez pas stupide ! s'irrite la reine. Quelle raison aurions-nous eue d'agir ainsi ?

— Pour resserrer le Sénat et le peuple autour de César ! gronde Cicéron. Jupiter absent de la cérémonie, c'est César que les Romains auraient acclamé si on les avait prédisposés à cela. C'est une façon de se préparer à devenir roi.

— Vous êtes ivres ! s'emporte César. Vos paroles dépassent la mesure. Cette statuette est fausse, c'est évident. Où est la griffure de l'aigle ?

— La statue s'est brisée en tombant, déclare Cicéron. La joue gauche a volé en éclats, voilà pourquoi elle manque. J'ai relevé des débris dans le temple.

César se met à marcher le long du bassin en agitant les bras.

— C'est un piège pour m'abattre et répandre le chaos dans Rome. Le voleur se sera introduit ici pour cacher la sculpture dans l'amphore.

— Fenk a senti une présence tôt ce matin, signale Iras. Il s'est précipité vers le mur du fond et n'a cessé de glapir. Ce devait être notre homme…

— Les abois d'un fennec ne sont pas une preuve, répond Cicéron. En revanche, la découverte que nous venons de faire ici en est une belle.

— Tu es désormais aux ordres du Sénat ! annonce Baltus à Marc Antoine. César et Cléopâtre sont prisonniers dans cette demeure, et tu es responsable d'eux sur ta vie !

— Quoi ? s'écrie Cléopâtre. Moi, la reine d'Égypte, retenue contre mon gré dans une maison à peine plus grande qu'une salle de mon palais ? Si c'est la guerre que vous cherchez…

César pose sa main sur l'épaule de la jeune femme.

— Calme-toi ! Ce n'est pas par la colère que nous

démontrerons notre innocence… Soit, accepte-t-il en se tournant vers Baltus, je me plie à tes exigences pour témoigner de ma bonne foi.

— J'emporte la statuette comme pièce à conviction pour la présenter au Sénat, afin de réclamer ta disgrâce, déclare le vieux sénateur.

Il jette un pan de sa toge sur son épaule et quitte le jardin, accompagné par Cicéron et Marc Antoine.

— Mène ton enquête, car elle n'est pas finie ! lance César à Cicéron. Et traque le vrai coupable ! Tu as deux jours, pas un de plus !

— C'est incroyable, souffle Cléo une fois seule avec ses amis. Qui a pu retrouver la statuette et monter un coup pareil ?

— Ce n'est pas celle qui était dans le temple, révèle Iméni. La tête de la vraie s'est cassée au niveau du cou, et son visage est entier.

— Quelqu'un nous a vus casser la statuette, explique Antinoüs. Et il en a profité pour faire accuser César.

— Ou bien quelqu'un avait prévu de la voler, voilà pourquoi la porte était entrebâillée.

— Je me demande quelle tête a fait le voleur en constatant que la statuette avait déjà disparu, glousse la fillette.

— Les conspirateurs ont vite réagi : ils en ont fait faire une copie. Ne pouvant reproduire la marque de l'aigle, ils ont brisé la joue.

— Oh, misère, gémit le petit Égyptien, nous nous retrouvons au centre d'un complot.

— Oui, mais cette fois nous avons l'avantage, pérore Cléo. Allons récupérer la statuette, tu la répareras, et nous pourrons la déposer…

— Où cela ? coupe Antinoüs. Dans le temple, pour qu'elle s'envole à nouveau ? Aux pieds de César ? De Baltus ? De Cicéron ? Quelles explications aurons-nous à leur fournir ?

— Bah, nous verrons bien, répond la fillette en pirouettant sur la pointe des pieds. Nous nous sommes sortis de situations plus délicates.

CHAPITRE 5

LA MEILLEURE
DES CACHETTES

Les deux soldats postés à l'entrée de la maison se campent devant les enfants, barrant le passage.

— Personne ne sort ! grogne le premier. Ordre de Marc Antoine !

— Justement, le voilà qui arrive, fait observer Antinoüs en voyant un cavalier remonter la rue.

Marc Antoine arrête son cheval devant la maison, met pied à terre et tend les rênes à l'un des gardes. Il fronce les sourcils en découvrant les enfants sur le seuil, mais Cléo se pare de son plus beau sourire en l'abordant.

— Nous désirons passer l'après-midi en ville, commence-t-elle. C'est César et Cléopâtre qui sont prisonniers, pas nous ! Et puis Fenk a besoin de se dégourdir les pattes.

L'homme hésite. Cléo sent qu'il va céder. Elle ajoute :

— Soyez gentil... !

— C'est bon, consent Marc Antoine en entrant dans le vestibule. Mais faites-vous accompagner par une des servantes de la reine !

— Ce n'est pas la peine ! chantonne Cléo en se précipitant dans la rue. Le temps qu'elle se prépare, nous serons revenus !

Un peu plus tard, Cléo, Iméni et Antinoüs franchissent le pont qui conduit à la Porte Flumentana. Pour éviter de se faire remarquer par les gardes, ils se mêlent à un flot d'hommes et de femmes venus des contrées voisines.

— Ça y est, souffle Cléo, nous sommes entrés. Nous allons passer par le marché aux bestiaux.

— Il faut trouver un atelier de tailleur de pierres, annonce Iméni. Celui de Typhos l'Athénien dont parlait Cicéron, par exemple.

Antinoüs et la fillette pilent net. Le jeune Grec retient son ami par le bras.

— Quoi ? Tu veux dire que tu ne peux pas recoller la tête tout seul ?

— Bien sûr que si ! Mais il me faut le matériau et les instruments. Vous ne pensiez quand même pas que j'allais réparer la statuette avec de la terre et du pipi de chat ?

— Que crois-tu qu'il va faire, ton sculpteur, lorsqu'il reconnaîtra la statuette de Jupiter ? Te prêter ses outils et sa poussière de marbre ?

— Nous nous introduirons chez lui de nuit, tranche Cléo. J'ai bien fait d'emporter une mèche et des silex, ça permettra de nous éclairer.

— Marc Antoine enverra ses soldats nous chercher si nous ne rentrons pas avant la nuit, déclare Antinoüs.

— Nous aurions dû le mettre au courant, lui, regrette la fillette. Il nous aurait…

— Certainement pas ! assène Iméni. Cette affaire doit rester entre nous. Nous n'avons besoin de l'aide de personne ! D'ailleurs les dieux sont avec nous !

— Ah oui ? s'étonne Cléo.

— Jupiter a fait intervenir son aigle pour que je renverse la statuette. Si je ne l'avais pas emportée, c'est le voleur qui l'aurait dérobée. Et c'est la vraie qu'on aurait découverte dans le jardin !

— Iméni a raison, confirme Antinoüs.

Le jeune Égyptien gonfle la poitrine, ravi d'être considéré comme l'interprète des dieux.

— Je crois plutôt que c'est moi que les dieux ont choisie, rectifie Cléo. Si je n'avais pas insisté pour sortir, l'autre nuit, nous serions restés à la fenêtre à compter les étoiles.

Une odeur forte de bestiaux alourdit l'air, la foule devient plus dense. Il faut jouer des coudes pour se faufiler entre les gens. Des vaches et leurs veaux sont alignés le long de cordes qui délimitent des allées. Des bœufs et des taureaux sont attachés à des bornes de pierre par un anneau passé dans les naseaux.

— Trouvons l'atelier de Typhos l'Athénien avant de nous promener dans Rome avec la statuette, murmure Antinoüs à ses amis.

— Rien de plus facile ! chante Cléo. Il suffit de demander autour de nous.

Elle agrippe aussitôt un gros Romain par sa toge pour obtenir le renseignement. L'homme la foudroie du regard et la fait chasser par ses esclaves.

— Ces brutes ne savent pas que tu es l'élue de Jupiter, dit en riant Antinoüs. Il faut leur parler poliment.

Il s'adresse à son tour à une femme escortée par son serviteur, et reçoit l'information appuyée d'un sourire.

— Notre tailleur de pierres habite au sud du Forum, près du temple de Saturne, répète-t-il. Ce n'est pas très loin de l'endroit où nous avons caché la... ce que vous savez, corrige-t-il pour ne pas allécher les oreilles indiscrètes.

Les enfants délaissent le marché aux bestiaux et remontent la rue qui conduit au Capitole.

— C'est là, dit Iméni comme ils arrivent devant un porche.

Ils pénètrent dans l'arrière-cour, constatent que l'atelier de vannerie est abandonné, et que l'endroit est devenu le refuge des chats. Un énorme matou trône sur l'amoncellement de paniers

troués, mais dès qu'il aperçoit le fennec, il s'enfuit, entraînant sa bande derrière lui.

Pendant qu'Antinoüs s'élance derrière Fenk pour le rattraper, Cléo et Iméni fouillent dans le tas de vieilleries.

— Je l'ai ! s'exclame le garçon, les bras plongés jusqu'aux épaules dans l'enchevêtrement de nattes, de tamis, de paniers...

Cléo enveloppe la statuette dans une natte tandis qu'Iméni cherche la tête qui a roulé un peu plus bas. Lorsqu'il l'extrait enfin, la gamine et lui examinent la griffure sur la joue.

— C'est vrai qu'elle est impossible à reproduire, reconnaît Cléo. Ce n'est pas qu'une simple entaille. La joue est creusée, avec deux boursouflures, comme s'il s'agissait d'une plaie réelle.

Antinoüs réapparaît, son fennec dans les bras.

— Des soldats patrouillent dans les rues et interrogent les passants, annonce-t-il d'un air catastrophé. Je suis sûr que Marc Antoine les a envoyés à notre recherche. Ils doivent donner notre signalement aux gens.

— Nous devons nous cacher jusqu'à ce que les rues se vident, suggère Iméni. Parce que, si on nous attrape, on nous prendra pour les voleurs de Jupiter. Et alors… aïe, aïe, aïe !

— Je ne vois qu'une solution, indique la fillette. Nous dissimuler sous ces vieux paniers.

— C'est une bonne cachette, approuve Antinoüs. Personne ne viendra nous chercher là-dessous.

Ils entassent sur eux des bottes d'osier, des nattes, des vieilles sandales...

— Ce n'est pas digne d'un élu des dieux, grogne Iméni.

— Tais-toi ! ordonne Cléo. Et toi, retiens Fenk ! Qu'il n'aille pas semer la panique parmi les chats qui reviennent !

Le matou tourne un moment autour du tas, prudent, puis il s'installe avec un air de propriétaire sur un tonneau pourri importé de Gaule. Le jour s'assombrit. Des pas approchent. L'allumeur s'arrête devant la cour, puis un halo de lumière se met à trembler sous le porche. Rome entre dans la nuit.

CHAPITRE 6

DANS L'ATELIER !

Trois petites ombres s'immobilisent près du temple de Saturne. Il n'y a qu'une rue à traverser pour rejoindre l'avenue où s'étirent nombre de boutiques de bouchers, de poissonniers, mais aussi d'orfèvres et de potiers. Les enfants tendent l'oreille. Quelques voix s'échappent par les fenêtres des immeubles à trois étages, derrière le temple, mais la rue semble déserte.

— Allons-y ! décide Cléo.

Le trio franchit la voie et se retrouve dans le quartier des artisans. Il ne faut pas longtemps aux enfants pour dénicher l'atelier du sculpteur, situé entre un four à pain et un canal au bord duquel se dresse une tannerie.

— Le bonhomme doit loger à l'étage, suppose

Iméni, mais il dort peut-être à l'arrière pour ne pas être gêné par le bruit de la rue, à l'aube.

— La porte est solide, constate Antinoüs qui vient d'étudier la serrure.

Il lève la tête, regarde le balcon au-dessus de lui, et se demande s'ils ne vont pas plutôt devoir escalader le mur du jardin, quand Cléo les appelle doucement.

— Il y a une lucarne fermée par un volet sur le mur qui donne dans la courette du boulanger.

Les garçons la rejoignent. Iméni s'appuie le dos au mur et fait la courte échelle à son ami. Antinoüs passe alors ses doigts dans l'intervalle entre la pierre et le bois, et il tire de toutes ses forces. À la troisième tentative, le loquet cède. Le jeune Grec grimpe sur les épaules de son compagnon, atteint le rebord de la lucarne et s'introduit dans la maison. La fillette l'imite et y pénètre à son tour. Iméni leur tend ensuite la statuette.

— N'oublie pas Fenk, murmure Antinoüs, sinon il va se mettre à japper.

L'enfant saisit le fennec, se hausse sur la pointe des pieds et le passe à son ami.

— À toi maintenant !... Saute !... Plus haut !

Les mains s'agrippent. Cléo vient aider Antinoüs. À eux deux, ils parviennent à hisser Iméni. La gamine frotte alors ses éclats de silex pour allumer la mèche. Une petite lueur vacille au bout de ses doigts. Cléo promène la flamme autour d'elle, éclairant des poteries, des statuettes, des petits animaux en pierre bleue...

— Nous sommes dans la boutique, dit Antinoüs. L'atelier doit être derrière.

Ils découvrent une porte, la poussent et entrent dans l'atelier de Typhos. Le sol est jonché d'éclats et de poussière de marbre. Des ébauches de statues sont alignées sur une grande table, certaines presque achevées, d'autres à peine esquissées, donnant l'impression que des visages essaient de sortir de leur bloc de pierre. Cléo aperçoit une lampe à huile suspendue à une chaînette. Elle l'allume avec sa mèche enflammée. L'atelier prend aussitôt une autre dimension ; l'obscurité recule, la pièce s'agrandit, des êtres à moitié taillés entourent

les enfants : des formes humaines ou animales qui jettent des ombres monstrueuses sur les murs.

— Les instruments sont là, annonce Iméni en montrant des outils rangés sur une planche.

Il sélectionne ce dont il a besoin, et confectionne une colle à laquelle il ajoute une poudre de calcaire pour obtenir la bonne teinte. Aidé par Antinoüs, il ajuste la tête sur le corps, puis, tenant chacun un bout de la statuette, ils pressent les deux morceaux ensemble et ne bougent plus, le temps que la colle durcisse.

— Je passerai encore un enduit pour boucher les fissures, explique Iméni, et je le lisserai bien… Ne bouge surtout pas, sinon la tête va se placer de travers, et il faudra la casser pour la détacher du cou ! Si elle éclate alors en mille morceaux…

Fenk se met tout à coup à gronder. Cléo l'attrape pour l'empêcher de se ruer à travers l'atelier.

— Il a senti quelque chose. Il faut éteindre, et vite ! prévient Antinoüs.

Cléo va étouffer la flamme avec un bouchon d'argile. Ils restent dans le noir total, répétant des

« Chttt ! Chttt ! » pour ramener le fennec au silence. Mais la gamine a beau lui tenir la gueule fermée, il continue à rouler des sons de gorge. Une porte s'ouvre violemment, dévoilant un homme, une torche à la main, et dans l'autre un solide gourdin.

— Ah ! s'écrient les enfants.

De saisissement, les garçons lâchent la statuette. Elle bascule, tombe sur les pieds d'Iméni.

— Oh, non ! se désole-t-il. Tout est fichu !

CHAPITRE 7

TYPHOS L'ATHÉNIEN

— Ah ça ! s'exclame l'homme. C'est la première fois qu'on entre dans l'atelier pour me voler ! D'habitude, c'est dans la boutique !

— Nous ne sommes pas des voleurs ! se défend Cléo pendant qu'Iméni ramasse la statuette.

— Bien sûr ! ricane le sculpteur. Vous êtes simplement venus voir travailler Typhos l'Athénien. En pleine nuit ! Rends-moi donc ce que tu tiens dans tes mains ! dit-il à Iméni. Et toi, la fille, ne lâche surtout pas ta bestiole !

Le petit Égyptien tend la statuette à l'artisan. Par bonheur, ses pieds ont amorti le choc, et Jupiter est intact.

— Je ne comprends pas, s'étonne Typhos, c'est la commande que je viens de réaliser en catastrophe.

Que fait-elle à nouveau dans mon atelier ?

— Ce n'est pas la même ! lance soudain une voix surgie de l'ombre.

L'Athénien se retourne. Une silhouette d'homme apparaît sous le péristyle qui entoure le jardin.

— Ma maison serait-elle devenue le rendez-vous des brigands ? grommelle le tailleur de pierres. Celui-là sera passé par le potager. Tu vas tâter de mon bâton, mon gaillard !

— Mon nom est Cicéron, annonce l'intrus, et j'enquête au nom de Rome sur le vol de la statuette de Jupiter.

Typhos le regarde approcher d'un air méfiant, le gourdin légèrement relevé. Les enfants échangent un bref coup d'œil, atterrés.

— Vous enquêtez chez moi ? La nuit ? En escaladant le mur de mon jardin ?

— La lucarne par laquelle sont passés les enfants était trop étroite pour moi. J'ai dû trouver un autre moyen d'entrer. Examinez la statuette, et vous verrez qu'elle ne sort pas de votre atelier.

Typhos pose son bâton contre le mur et observe

l'objet à la lumière de sa torche.

— C'est vrai, reconnaît-il, elle a une griffure sur la joue gauche. Et puis elle ne porte pas ma marque. Ne serait-ce pas la statuette du Capitole ?

— Quelle marque ? interroge Cicéron.

— J'appose toujours mes initiales sur mes œuvres. Un T et un A, pour Typhos l'Athénien. Je les ai gravées à cet endroit, précise-t-il en montrant le dessous de la barbe de Jupiter.

— Qui vous a commandé ce travail ?

— Un inconnu. Grand, maigre, le visage mangé par une barbe. Le genre d'individu que l'on croise en milliers d'exemplaires dans les rues de Rome. Il était très pressé d'avoir la statuette, à tel point que j'ai dû travailler jour et nuit pour la finir à temps. Je la lui ai remise hier soir... Mais vous ne m'avez toujours pas expliqué ce que vous faites tous chez moi.

— Nous sommes venus réparer la statuette, déclare Antinoüs. La tête s'était détachée après un choc.

— Dans quel état est-elle ? demande Cicéron à Typhos.

— Les gosses ont fait du bon travail. Il reste ici et là quelques petites imperfections.

— Rendez-la parfaite ! ordonne Cicéron à Typhos. Après quoi, c'est promis, nous vous laisserons dormir.

— Comment ? s'écrie le bonhomme. Vous voulez que je fasse cela maintenant ?

— C'est important ! Rome vous récompensera largement.

L'artisan entre dans son atelier, allume la lampe et se met à l'ouvrage.

— Comment avez-vous su que nous avions la statuette ? demande alors Cléo à Cicéron.

— Je n'en étais pas sûr. J'ai découvert des poils dans le temple de Jupiter, or aucun animal, hormis l'aigle sacré, n'est autorisé à y pénétrer. En caressant le fennec, ce matin chez Cléopâtre, j'ai prélevé une touffe de ses poils, que j'ai comparés avec les autres. C'étaient exactement les mêmes. J'en ai conclu que vous étiez entrés dans le sanctuaire la nuit du vol. Je suis donc revenu pour vous interroger, quand je vous ai aperçus en ville. Votre comportement m'a intrigué et j'ai décidé de vous suivre. En effet, pourquoi vous être cachés dans cette arrière-cour ? Pourquoi avoir attendu la nuit pour en sortir au lieu de retourner chez vous ? Que portiez-vous sous le bras ? Pourquoi vous être introduits chez Typhos l'Athénien ? J'ai une partie de la réponse à présent, mais je ne sais toujours pas pour quelle raison vous êtes allés sur le Capitole. C'est César ou Cléopâtre qui vous ont chargés de dérober la statuette ?

Les trois enfants secouent la tête.

— Non, ils ne sont au courant de rien. C'est moi qui ai voulu voir le temple de près, avoue la gamine.

— La porte était entrouverte... poursuit Antinoüs.

— Alors nous sommes entrés. Mais l'aigle nous a effrayés, et j'ai renversé la statuette. Je l'ai juste emportée pour la réparer, confesse Iméni. Je le jure sur Osiris.

— Pourquoi ne pas l'avoir dit à Baltus, ce matin ?

— Je... je...

Le garçon baisse la tête. Cicéron lui fait peur, et il ne trouve plus ses mots. Son ami lui vient en aide.

— Parce qu'on ne voulait pas être punis ! Mais nous comptions la rendre, bien entendu.

Cicéron s'appuie contre la porte de l'atelier et regarde travailler l'artisan.

— Dans un sens, c'est heureux pour César que vous ayez pris la statuette, réfléchit-il. Maintenant, il me faut trouver les vrais coupables.

La lumière se déplace. Typhos ressort de l'atelier avec l'objet sacré et la lampe.

— Et voilà ! claironne-t-il. Jupiter est comme neuf. Je suis presque tenté d'y graver mes initiales.

— Surtout pas ! J'ai un dernier service à vous demander : hébergez ces trois-là pour la nuit. Il est trop tard pour qu'ils retraversent la ville. Les brigands sont plus nombreux que les soldats de Marc Antoine.

— Quoi ? proteste l'Athénien. Il y a des auberges à Rome ! Et mon chat ne va pas faire bon ménage avec leur renard !

— J'ai besoin de votre témoignage pour innocenter César, demain, devant les sénateurs, dit-il aux enfants. Je viendrai vous chercher. Un de mes serviteurs avertira Cléopâtre, à l'aube, afin qu'elle ne s'inquiète plus de votre absence.

— Pourquoi ne pas les loger chez vous ? grogne Typhos. C'est que ça mange, au réveil, cette jeunesse !

— Rome vous dédommagera.

— Rome, Rome, toujours Rome… bougonne l'artisan.

Cicéron se fait ouvrir la porte de la boutique, et il disparaît rapidement dans la nuit.

— Une chance qu'il ne nous ait pas emmenés avec lui, souffle Iméni.

Ses deux amis le regardent, la mine interrogative.

— Avec la tête qu'il a, il doit dormir sur un perchoir, explique le petit Égyptien.

CHAPITRE 8

LES MOTS DE TROP

Le lendemain matin, Cicéron se présente avec les enfants devant la Curie, le bâtiment où se réunit le Sénat, tout près de la place du Forum. Il tient sous son bras la statuette de Jupiter enveloppée dans un linge.

— Où croyez-vous aller avec ces gosses ? gronde un garde.

— Je suis l'enquêteur officiel de Rome, annonce Cicéron. Et je produis ces enfants en tant que témoins d'une sombre affaire.

— Même le fennec ?

— C'est la pièce à conviction, lui rétorque Cléo en prenant un air de conspirateur.

L'homme hausse les épaules et s'écarte, les laissant entrer. Les sénateurs sont assis le long d'un

mur, sur trois rangs. Cicéron s'installe au premier rang, Cléo, Antinoüs et Iméni s'assoient sur les dalles, devant lui. Debout au centre de la Curie, brandissant la statuette trouvée chez Cléopâtre, Baltus est en train d'accuser César de l'avoir fait voler dans le temple.

— En faisant disparaître ce que nous avons de plus sacré, César espérait remplacer Jupiter dans nos cœurs. Je crois que son but secret était de se faire couronner roi après les Grands Jeux. Mais il a échoué ! Rome ne veut pas de roi ! affirme-t-il en haussant le ton. Aussi, je vous demande de retirer ses pouvoirs à César, et de le chasser de la ville.

Tous se lèvent, agitent le poing et réclament la chute de l'imperator.

— Vous ne leur dites pas la vérité ? s'étonne Cléo en regardant Cicéron qui, lui, est resté assis.

— J'attends qu'ils se soient vidés de leur colère.

Baltus ramène le calme dans la salle.

— Le voleur doit subir son châtiment, admet Cicéron d'une voix forte pour couvrir les rumeurs. Encore faut-il trouver le coupable !

— Qu'est-ce que tu racontes ? fait Baltus, stupéfait.

— La statuette découverte chez César ne provient pas du temple de Jupiter, mais de l'atelier de Typhos l'Athénien.

Un silence glace les rangs.

— Tu affirmes cela parce qu'il manque la joue gauche et l'empreinte du dieu ? Tu sais bien qu'elle a été cassée en tombant. Cette statuette remonte à Romulus ! rappelle le vieux sénateur sur un ton indigné.

Cicéron se lève et va se placer à côté de Baltus, face à l'assemblée.

— J'affirme cela parce que l'objet que tu tiens entre les mains porte sous la barbe les initiales de l'artisan. Or Typhos ne vivait pas il y a sept siècles !

Le vieil homme étudie la sculpture.

— C'est vrai, constate-t-il d'une voix blanche. J'y lis un T et un A.

— Alors où est la vraie ? interroge un sénateur du nom de Marcus.

— Elle n'a jamais quitté le temple. Sauf aujour-

d'hui ! clame Cicéron en la débarrassant de son linge pour l'exposer aux yeux des sénateurs.

— C'est faux, chuchote Iméni. Nous...

— Chut ! le coupe Antinoüs. Cicéron sait ce qu'il fait.

— Comment cela, elle n'a jamais quitté le temple ? proteste Baltus. Elle n'y était déjà plus quand Casca est entré.

Cléo sursaute comme si elle avait été piquée.

— Hé ! Il n'y a que le voleur qui a pu s'en rendre compte !

Baltus se fige, interdit, et se mord les lèvres comme pour les punir d'avoir laissé échapper sa phrase. L'exclamation de la fillette a pétrifié la salle.

— Qui est Casca ? demande Cicéron, l'œil brillant.

— C'est... c'est un des prêtres, balbutie le vieil homme. Celui qui a découvert le vol.

— N'est-ce pas plutôt le nom de celui qui devait dérober la statuette ? J'imagine sa surprise en ne la trouvant plus. Et la tienne lorsqu'il t'a averti ! C'est alors que tu as pensé à Typhos l'Athénien. Tu lui as

fait faire une copie afin d'aller la déposer dans la maison de César. Ensuite, tu t'es débrouillé pour la faire réapparaître à nos yeux en te servant de moi comme témoin… Tu voulais destituer César pour rendre le pouvoir aux sénateurs… Et comme tous semblent t'obéir, c'est toi qui serais alors devenu le maître à Rome.

— Tu... tu divagues complètement, bredouille Baltus en reculant vers la porte.

— Nous retrouverons tes complices — le voleur et le prêtre qui a laissé la porte ouverte et qui s'est enfui depuis — et nous les ferons parler. Je pense que Typhos reconnaîtra celui qui lui a passé la commande.

Baltus essaie de s'enfuir, mais Fenk court après lui, l'attrape par la cheville et le fait tomber. Tout le Sénat éclate de rire.

— Dis-moi, Cicéron, reprend Marcus, la statuette a-t-elle disparu ou non du temple ? Si ce Casca ne l'a pas vue…

— Elle a disparu le temps qu'il fallait pour échapper aux voleurs.

— Explique-toi mieux !

— L'aigle de Jupiter la tenait sous ses plumes, déclare-t-il en décochant un clin d'œil à Iméni.

Une délégation du Sénat est venue présenter ses excuses à César et à Cléopâtre, et Marc Antoine est à nouveau aux ordres de l'imperator, son général.

— Grâce à vous trois, mon innocence a pu être prouvée, se réjouit César qui vient d'apprendre toute la vérité de la bouche des enfants, et je vais pouvoir ouvrir les Jeux en présentant Jupiter à la foule. Vous marcherez à côté de moi, à la place d'honneur, et vous porterez les aigles romaines, les enseignes de mes légions.

— C'est Iméni le héros de l'histoire, signale Antinoüs. S'il n'avait pas eu l'idée de ramasser les deux morceaux de la statuette…

— Je garderai longtemps le souvenir de cette aventure, dit le petit Égyptien. Je n'avais jamais eu une telle peur, quand l'aigle m'a foncé dessus, dans le temple.

Cléopâtre se penche vers lui.

— Voilà de quoi la faire oublier, assure-t-elle en lui déposant un baiser sur la joue.

Ne voulant pas être en reste, Cléo vient l'embrasser à son tour.

— En espérant que tu garderas la tête sur les épaules…

Iméni a l'impression de voler. Des fanfares retentissent sous son crâne, aussi belles, aussi éclatantes que toutes les trompes annonçant l'entrée triomphale d'un général à Rome. Cette première bise de Cléo lui fait l'effet d'une victoire sur le grand, le fort, le beau Marc Antoine.

L'AUTEUR

Bonjour, c'est moi Cléo, et je voudrais vous parler de mon papa... Alain Surget, il est fou d'Égypte ! Dès qu'il voit une pyramide, un temple ou l'image d'un Pharaon, il craque. Et il craque aussi pour les héroïnes ! Qu'elles soient simples voleuses ou princesses, elles sont pour lui comme des déesses. Ça me plaît bien de courir sur ses pages, de laisser mes empreintes sur ses mots et de l'entraîner derrière moi dans mes aventures... Parce qu'au fond il est comme moi, il adore voyager... mais lui, c'est dans sa tête !

L'ILLUSTRATEUR

Fabrice Parme est né près de Nancy. Après avoir suivi les cours de l'école Duperré et des Beaux-Arts d'Angoulême, il s'installe à Paris. Il travaille pour des magazines, la bande dessinée, la publicité et le dessin animé. En 1999, il signe la création graphique de la série télé *La Famille pirate*. Avec **LES ENFANTS DU NIL**, il s'attaque à un genre nouveau pour lui : l'illustration de romans pour la jeunesse.

TABLE DES MATIÈRES